CW00860364

Cochyn

Gwen Redvers Jones

Argraffiad cyntaf: 2000
Ail argraffiad: 2001

ISBN 1 85902 780 6

Dymuna'r cyhoeddwyr gydnabod cymorth
Adrannau Cyngor Llyfrau Cymru.

Argraffwyd gan
Wasg Gomer, Llandysul, Ceredigion SA44 4QL

Cyflwynedig i
Carys Miriam

Pennod 1

Gorweddai Hawys yn drist o dan y flanced gras ar y fatres wellt. Roedd lympiau caled y llawr pridd yn gwthio drwy'r fatres denau, ond doedd hi ddim yn teimlo'r boen. Ddim heno. Gyda chefn ei llaw sychodd y dagrau o'i llygaid. Doedd clecian y taranau, fflachiadau'r mellt, a'r glaw yn chwyrlïo o amgylch y tyddyn tlawd yn amharu dim arni. Ddim heno. Digwyddodd y peth gwaethaf a allai ddigwydd i neb iddi hi y bore hwnnw. Cofiodd y sgwrs rhyngddi hi a'i nain ychydig ddyddiau'n ôl:

'Dydy Mam ddim yn diodde o'r pla, nac ydy, Nain?'

'Y pla? Nac ydy, siŵr iawn. Y frech wen sy arni hi. Rydw i wedi gweld digon o'r frech wen i wybod mai dyna sy'n bod arni hi.'

Cofiodd Hawys mor falch oedd hi o glywed mai dim ond y frech wen oedd ar Mam. Roedd Nain ei hun wedi cael y frech wen ac wedi gwella. Dyna pam roedd ganddi hi greithiau ar ei hwyneb.

‘Fydd gan Mam dyllau yn ei hwyneb hefyd, Nain?’

‘Na fydd, siŵr. Mi fydd dy fam mor ddel ag erioed ar ôl iddi hi wella. Rydan ni’n gallu trin petha fel hyn rŵan, ’sti. Rŵan, dos i lawr i’r Plas i ddeud na fydd dy fam yn mynd i’w gwaith. O ia, gofynna iddyn nhw am sgyfaint dafad. Maen nhw’n lladd digon o ddefaid i lenwi’u boliau mawr tew. Mi wn i sut i wneud eli at y frech wen, ond rhaid i mi gael sgyfaint dafad. Wedyn mae angen pluen i roi’r eli ar y croen. Mi dynnwn ni un o blu lleiaf Cochyn. Mae o’n cael bywyd braf iawn ac yn mynd yn dipyn o lanc. Wnaiff o ddim drwg iddo fo.’

Chwarddodd Hawys. Roedd hi a Cochyn, y ceiliog ifanc newydd, yn ffrindiau mawr a rhedai ati i nôl briwsionyn bob tro yr âi hi allan i’r buarth.

Ond cafodd Cochyn lonydd. Er holl ymdrechion Nain i wella Mam, ac i godi calon Hawys, ni fu angen yr eli na’r bluen. Yn dawel iawn, ddau fore’n ôl, bu farw ei mam. Bore heddiw claddwyd ei chorff ym mynwent Eglwys Sant Gredifael.

Ar ôl troi a throsi am amser hir, cysgodd

Hawys, a phan ddeffrodd clywodd lais Nain allan ar y buarth. Roedd glaw y nos wedi golchi pobman yn lân. Er gwaethaf popeth, roedd diwrnod newydd ar ddechrau.

'Tswc . . . tswc, tswc, tswc . . .' Dim ond unwaith roedd yn rhaid i Nain godi ei llais a byddai'r ieir yn rhyw hanner hedfan, hanner rhedeg nerth eu traed i bigo'r ychydig friwsion. Roedd Cochyn yn sefyll yn falch yn eu plith.

Doedd dim llawer o awydd codi ar Hawys, ond roedd arni angen cwmni Nain. Cododd yn araf, yna rholiodd y fatres i fyny a'i gosod yng nghornel yr ystafell fach dywyll, laith. Dododd ei gwisg garpiog ar ben y bais o wlanen cartref a wisgai ddydd a nos, haf a gaeaf. Gwisgodd ei chlocsiau am ei thraed a'i chapan am ei phen cyn camu allan i'r buarth. Rhedodd Cochyn ati a phlygodd Hawys i lawr i anwesu'r plu coch, llyfn.

'Rwyt ti wedi codi, felly,' meddai Nain. 'Tyd. Mae isio bwyd arnan ni'n dwy, fel yr hen ieir 'ma. Mae 'na ddigon o fara rhyg ar ôl. Mae pawb mor garedig ar adeg fel hyn ac mi rydw i wedi godro'r hen afr yn dy le di bora 'ma.'

Eisteddodd Hawys ar fainc arw o flaen y bwrdd bach a wnaed gan ei thaid flynyddoedd yn ôl. Gwyliodd y mwg yn codi'n ddioglyd o'r tân tyweirch. Roedd ei arogl yn cymysgu'n sur ag arogl y gannwyll saim gŵydd a fu'n goleuo'r ystafell y noswaith cynt. Roedd y bara'n fwy sych nag arfer ac roedd y llaeth cynnes yn help i'w olchi i lawr. Byddai'n waeth erbyn amser cinio—bryd hynny byddai'n gorfod ei fwyta gyda'r feipen a ferwai Nain yn yr hen grochan. Dyna fyddai eu cinio bob dydd heblaw pan fyddai Mam wedi gallu sleifio rhyw damaid blasus gyda hi o'r Plas. Roedd Mam yn dweud nad dwyn oedd hi gan ei bod yn rhoi llawer mwy o waith i mewn yn y Plas na gwerth y chweugain y flwyddyn a gâi o gyflog.

'Nain?' holodd Hawys.

'Ia, 'ngenath i?'

'Ydan ni'n fwy tlawd rŵan mae Mam wedi marw?'

'Wel, ydan . . . ond paid ti â phoeni, mi ddown ni drwyddi hi.'

'Nain?'

'Be?'

'Rydw i'n helpu dipyn bach wrth fugeilio'r brain ym Mryn Eglwys a chwynnu'r caeau, yn tydw?'

'Argian annwyl, wyt. Mae o'n dod ag amball frest dafad i ni, a maip a cheirch. Mae o'n help i gadw corff ac enaid ynghyd. Paid ti â mwydro dy ben hefo petha fel 'na. Mi fyddi di'n ddigon hen i weithio'n y Plas dy hun cyn bo hir, ac wedyn fydd dim rhaid i ni werthu Cochyn.'

Fferrodd gwaed Hawys yn ei gwythiennau. Gwerthu Cochyn? O na! Châi Nain byth werthu Cochyn. Byddai hi, Hawys, yn gwneud yn siŵr o hynny!

'Nain?'

'Be?'

'Rydw i am fynd draw i Fryn Eglwys i weld ydyn nhw isio help llaw.'

'Dos di. Mi fydd yn lles i ti fynd o'ma am sbel.'

Camodd Hawys allan i'r buarth. Rhedodd Cochyn ati. Gwnaeth Hawys lygaid bach arno ac meddai dan ei gwynt, 'Mi fyddi di'n iawn. Mi fydda i'n gwneud yn siŵr o hynny.'

Tynnodd ei chlocsiau ar ôl croesi'r buarth ac roedd wrth ei bodd yn teimlo lleithder

oer y borfa'n ymwthio rhwng bysedd ei thraed. Er mor drist oedd hi, teimlai Hawys ei chalon yn codi wrth iddi gerdded rhwng yr eithin melyn draw at Fryn Eglwys. Arhosodd am funud. Yr ochr arall i Fryn Eglwys roedd bedd Mam. Na, doedd hi ddim am fynd i'r fynwent heddiw, nac i Fryn Eglwys chwaith. Roedd ganddi hi bethau pwysig i'w gwneud. Wyddai Nain mo hynny. Roedd Hawys am aros wrth ffynnon Bryn Eglwys am funud i gael llymaid o'r dŵr oer, clir ac yna cario ymlaen ar draws y caeau nes cyrraedd yr efail. Roedd hi wrth ei bodd yno, yng nghanol arogl carnau ceffyl yn llosgi, a gwyddai y câi ddarn o fara ceirch gan Mali. Ymlaen ar draws y caeau wedyn, gan osgoi'r lôn arw, nes cyrraedd pen yr allt serth uwchben y Plas.

O'r diwedd, cyrhaeddodd ben yr allt, gydag arogl y carnau'n dal yn ei ffroenau a pheth o'r bara ceirch blasus yn dal rhwng ei dannedd. Edrychodd i lawr a gwelodd y Plas yn swatio yn y coed oddi tani. Roedd hi'n teimlo mor ofnus nes y bu bron iddi droi'n ôl. Ond na—meddyliodd am

Cochyn a'i glochdar cyfeillgar yn ei deffro bob bore. Cychwynnodd yn betrusgar i lawr y cae serth at y Plas lle roedd disgynyddion y brenin yn byw—y brenin hwnnw fu'n gyfrifol am farwolaeth ei thad mewn rhyw wlad bell o'r enw Iwerddon.

Pennod 2

Erbyn i Hawys gyrraedd y Plas, roedd ei phenliniau'n gwegian, ei chalon yn curo a'i dwylo'n wlyb o chwys. Pan aeth yno i ddweud bod y frech wen ar Mam, roedd rhyw forwyn fach wedi ei gweld a mynd â hi i'r gegin i ddweud ei neges. Efallai mai dyna ble y dylai hi fynd y tro hwn. Clywodd sŵn yn dod o'r stablau—sŵn dynion yn chwerthin a cheffylau'n gweryru. Edrychodd o'i chwmpas. Roedd hi'n siŵr bod y lle'n fwy'r tro hwn na'r tro diwethaf. Roedd adeiladwyr yn brysur yno, ond iddi hi edrychai'r lle'n ddigon mawr a chrand yn barod.

'Ia, a be wyt ti'n neud yn sbecian yn fan hyn?'

Dychrynodd Hawys. Bu bron iddi neidio allan o'i chlocsiau. Edrychodd ar y dyn ifanc mawr, cyhyrog o'i blaen a phenderfynodd yn y fan a'r lle nad oedd yn ei hoffi o gwbl. Roedd ganddo wefusau tenau, milain a thrwyn fel hebog. Disgynnai ei wallt du yn gudynnau seimllyd hyd at waelod ei glustiau, a sylwodd bod blew yn tyfu allan o'i drwyn a lympiau o dail yn sownd ar flew ei goesau noeth.

'Ydy'r gath wedi dwyn dy dafod di? Wedi dod yma i gardota wyt ti? Synnwn i ddim. Ond cofia, mae 'na ddeddf yn erbyn pobl fel ti. Gwell i ti ei heglu hi o 'ma cyn i mi dy chwipio di!'

Teimlodd Hawys ei llygaid yn llenwi. Doedd neb erioed wedi bod yn gas wrthi hi o'r blaen. Bu bron iddi droi ar ei sawdl a dianc, ond fflachiodd darlun o Cochyn o flaen ei llygaid. Ceisiodd fod yn ddewr.

'Mae Mam wedi marw a mi dwi'n chwilio am waith,' meddai mewn llais crynedig.

'O. Pwy oedd dy fam, felly?'

'Cadi Tyddyn Bach. Roedd hi'n arfer gweithio yma.'

Edrychodd y dyn yn anghysurus am funud.

'O ia. Heddwch i'w llwch hi,' meddai'n frysiog. 'Pam wyt ti'n chwilio am waith? Dy nain yn methu cael dau ben llinyn ynghyd?'

'Nain sy'n deud ella bydd yn rhaid i ni werthu Cochyn.'

'Cochyn? Pwy yn y byd ydy hwnnw?'

'Ein ceiliog ni. Y fo ydy'r ceiliog gora yn yr ardal. Mi ddeudodd Ednyfed Bryn Eglwys wrth ei roi o i ni ei fod o'n edrach fel ymladdwr i'r carn.'

Gloywodd llygaid y llafnyn. 'Dyna ddeudodd o! Mae'n rhaid ei fod o'n un da, felly. Mae Ednyfed yn nabod 'i geiliogod. Ac mae dy nain am 'i werthu o, ydy hi?'

'Dim dros fy nghrogi. Dyna pam rydw i'n chwilio am waith. Os ga i 'mwyd am weithio'n fan hyn mi fydd gan Nain fwy o fwyd i'w roi i Cochyn.'

'Mae arna i ofn mai siwrnai seithug gest ti heddiw. Tasat ti'n hogyn mi fasai'n stori wahanol. Mae 'na ddigon o waith i hogyn rhwng y caeau, y stabal a'r bragdy, ond mae 'na lond gwlad o enethod yn y gegin a'r popty'n barod, yn baglu ar draws ei gilydd ac yn sŵn i gyd. Dydyn nhw ddim hyd yn oed yn chwilio am rywun yn lle dy fam. Beth bynnag, fasan nhw ddim yn dy roi di yng ngolwg pobol fawr yn edrach fel 'na. Waeth i ti ei baglu hi'n ôl at dy nain ddim,' meddai, gan sychu'i drwyn â chefn ei law.

Trodd Hawys yn ddigalon, ond cyn mynd gofynnodd, 'Oes 'na ddiod o ddŵr i'w gael?'

'Dos heibio cefn y stabal ac mae 'na hen gafn yna.'

Cwpanodd Hawys ei dwylo yn y dŵr a'i godi at ei cheg. Ych a fi! Roedd 'na hen flas mwsog arno fo. Dim byd tebyg i ddŵr ffynnon Bryn Eglwys. Clywodd chwerthin y dyn unwaith eto yn dod o'r stabal, yn uchel ei gloch.

'Ceiliog, myn diain i—a hwnnw'n ymladdwr, yn ôl Ednyfed Bryn Eglwys! Mi fydda i draw yn Nhyddyn Bach cyn machlud nos fory yn cynnig pris teg i'r hen wraig amdano fo. Wel, fydd hi ddim yn gwbod beth ydy pris teg, fydd hi?' A chwarddodd unwaith eto. 'Mi fedra i neud ceiniog neu ddwy allan o hwn.'

'Pam wyt ti'n trafferthu i'w brynu fo, Iorwerth? Does dim byd haws na mynd yno gefn nos a'i ddwyn o,' awgrymodd rhywun.

'Na, chwarae teg. Mi fuodd Cadi'n gweithio yma a dydw i ddim isio i'w hysbryd hi ddial arna i.'

Crynodd Hawys. Roedd hi'n casáu'r hen fwbach! Teimlodd rhyw benderfyniad rhyfedd yn dod drosti. Doedd yr hen Iorwerth yna ddim yn mynd i gael y gorau arni hi a Nain! Erbyn iddi hi gyrraedd adref mi fyddai wedi cael syniad sut i'w rwystro fo.

Â'i phen yn isel, dringodd y caeau serth tuag adref. Cododd ei chalon pan welodd Arthur y Felin yn brasgamu o'i blaen ar draws y cae uchaf. Roedd Arthur yn fachgen annwyl, a digon o hwyl i'w gael efo fo.

'Arthur,' gwaeddodd arno. 'Arthur!'

Trodd Arthur a chodi'i law arni. Eisteddodd ar y gwair i aros amdani.

'Be ti'n neud ffordd hyn?' holodd wrth i Hawys eistedd yn ei ymyl, a'i gwynt yn ei dwrn.

Er ei bod yn hoff iawn o Arthur, doedd Hawys ddim yn siŵr a ddylai ddweud wrtho ble roedd hi wedi bod. Doedd hi ddim am i Nain wybod eto. Ond byddai'n braf cael rhannu'i gofid hefo rhywun, a byddai Arthur yn siŵr o wrando.

'Os deuda i wrthat ti, wyt ti'n addo peidio deud wrth neb?'

'Yndw, siŵr. Cris croes tân poeth.'

'Mi es i'r Plas i chwilio am waith.'

'Does dim byd mawr yn hynna.'

'Dydw i'm isio i Nain wybod nes bydd petha wedi setlo. Mae hi'n meddwl 'mod i'n rhy ifanc.'

'Ti 'di cael addewid o waith, felly?'

'Naddo, gwaetha'r modd.'

'Deuda dy stori wrth i ni gerddad. Rydw i ar fy ffordd i Gae'r Helyg; mae Mam isio gwneud rhagor o fasgedi.'

Cerddodd y ddau'n hamddenol drwy'r caeau ac Arthur yn gwrando'n astud ar stori Hawys.

'Rydw i'n gwybod am yr hen Iorwerth 'na,' meddai Arthur. 'Hen gena drwg ydy o, meddan nhw. Hen labwst diog, meddw sy'n meddwl mwy am fynd i'r ffeiriau i wylio pryfocio eirth a theirw, ymladd cŵn ac ymladd ceiliogod nag am wneud diwrnod da o waith. Isio defnyddio Cochyn i ymladd mae o, siŵr i ti. Fedar o ddim fforddio prynu ceiliog yn onest, felly mae'r hen gena'n mynd i dwyllo dy nain i'w werthu fo'n rhad iddo fo.'

Roedd calon Hawys bron â thorri wrth feddwl am Cochyn yn cael ei ddefnyddio i ymladd mewn rhyw dalwrn.

'Cheith o ddim mynd â Cochyn i ymladd! Fedra i ddim diodda meddwl amdano fo'n torri crib Cochyn i'r bôn, yr holl ffordd o'i ben i'w sgwydda. Meddylia amdano fo'n torri plu ei ben-ôl o i ffwrdd ac yn siapio'i ewinedd o er mwyn iddo fo fedru tynnu llygad y ceiliog arall. Neu'n waeth fyth, hwnnw'n tynnu llygad Cochyn!'

'Tria beidio pendroni am y peth. Mi feddyliwn ni am rywbeth yn y munud. Mae dau ben yn well nag un, cofia.'

Cerddodd y ddau mewn tawelwch. Yn sydyn, meddai Arthur, 'Hawys, rydw i wedi cael syniad da!'

'Neith o weithio cyn nos fory, cyn i'r hen Iorwerth 'na ddod i weld Nain?' gofynnodd Hawys â rhywfaint o obaith yn ei llais.

'Gweithio? Wrth gwrs y gwnaiff o. Tyd i Gae Helyg i ddal y brigau i mi ac mi gei di glywed y cynllun gorau gafodd neb erioed.'

Teimlai Hawys yn fwy sionc o lawer wrth ddilyn Arthur.

Pennod 3

Cytunodd Hawys bod syniad Arthur yn un gwych. Gallai wisgo hen ddillad Arthur a chymryd arni mai hogyn oedd hi er mwyn cael gwaith yn y Plas. Teimlai lawer yn well a bu wrthi'n brysur yn helpu Arthur i gasglu'r brigau.

Pan gyrhaeddon nhw'n ôl yn y felin cafodd Hawys groeso mawr gan Nest, mam Arthur. Cafodd y ddau eistedd yn y gegin i fwynhau brechdan o fara cartref, ffres.

'Lle ti 'di bod yn crwydro bora 'ma?'

'Mi es i i'r Plas i chwilio am waith.'

'Gest ti lwc yno?'

'Naddo. Gormod o ferched yno'n barod, medden nhw.'

'Pwy ddeudodd hynny wrthat ti?'

'Iorwerth.'

Chwarddodd Nest. 'Paid ti â gwrando ar yr Iorwerth 'na. Mae hwnna'n rhaffu celwyddau.'

'Rydw i'n siŵr 'i fod o'n deud y gwir y tro 'ma achos mi ddeudodd nad ydyn nhw ddim wedi cyflogi neb yn lle Mam.'

‘Dyna sut ges i’r syniad,’ torrodd Arthur ar ei thraws. ‘Gwisgo Hawys mewn hen grys, trowsus a gwasgod sy wedi mynd yn rhy fach i mi ac mi fedar hi gymryd arni mai hogyn ydy hi.’

‘Hogyn bach go eiddil faset ti,’ meddai Nest. ‘Wn i ddim fedrat ti ’u twyllo nhw,’ ychwanegodd. ‘A beth am y gwallt ’na?’

‘Mi allwn i ’i stwffio fo i gyd i mewn i ’nghap.’

‘Pa fath o waith fedri di neud? Mi fydd gwaith ar gyfar hogyn yn rhy drwm i ti, ’sti.’

‘Mae Nain yn deud o hyd ’mod i’n gryfach na ’ngolwg a rydw i wedi helpu lot ym Mryn Eglwys. ’Sdim isio bod yn gryf i chwynnu cae a dychryn brain.’

‘Be ddeudith dy nain?’

‘Fydd hi ddim callach os ga i ddod yma i newid.’

‘Rwyt ti’n benderfynol o drio, yn dwyt?’ gofynnodd Nest.

‘Yndw.’

‘Hen ddillad amdani, felly.’

Chwilotodd Nest mewn cist a thynnodd

allan grys gwlanen, trowsus, gwasgod a chap.

'Tria rhain,' meddai wrth Hawys.

Roedd cymaint o chwerthin wedi i Hawys newid nes y daeth Huwcyn, tad Arthur, i mewn o'r felin yn wyn i gyd, wedi bod yng nghanol y blawd. Wnaeth o ddim adnabod Hawys.

'Pwy ydy'r gŵr bonheddig yma?' holodd.

Wrth gwrs, aeth y chwerthin yn uwch a Nest yn sychu'r dagrau a redai i lawr ei hwyneb.

'Hawys Tyddyn Bach ydy o!' Ceisiodd Arthur gael y geiriau allan ynghanol ei chwerthin.

Camodd Huwcyn ati a chraffu arni i geisio'i gweld yn well yn yr ystafell fach dywyll.

Tynnodd Hawys ei chap a chwympodd ei gwallt i lawr.

'Wel ia, myn brain i. Be sy'n digwydd yma?'

Wedi iddyn nhw egluro roedd golwg bryderus ar Huwcyn.

'Os gei di waith yn y Plas, gwna dy orau

glas i gadw'n ddigon pell oddi wrth yr hen Iorwerth 'na. Cythraul mewn croen ydy o. Pryd wyt ti am fynd draw?'

'Rydw i am fynd ar unwaith. Mae Nain yn meddwl 'mod i ym Mryn Eglwys. Os ca i waith mi fedra i fynd adref a dweud 'mod i'n dechrau. Fedar hi wneud dim byd ynglŷn â'r peth wedyn. A beth bynnag, mae'r dillad amdana i'n barod.'

'Dos efo hi, Arthur,' meddai Nest. 'Mi fedri di aros ar ben yr allt nes daw hi'n ôl. Bydd yn ofalus rŵan, 'ngeneth i, a chadwa draw oddi wrth yr hen Iorwerth 'na.'

Teimlai Hawys yn od yn y dillad. Doedd hi ddim wedi gwisgo trowsus erioed o'r blaen. Roedd o'n deimlad rhyfedd heb sgert yn ei lapio'i hun o gwmpas ei choesau. A dweud y gwir, roedd ei choesau'n oer. Doedden nhw erioed wedi gweld golau dydd o'r blaen.

'Arthur, ydy dy goesau di'n teimlo'n oer?'

'Nac ydyn, pam?'

'Argian, mae fy rhai i'n teimlo fel lympiau o rew!'

Edrychodd Arthur ar ei choesau hi ac wedyn ar ei rai ef. Dechreuodd chwerthin.

'Pam wyt ti'n chwerthin?' holodd Hawys.

'Dy goesau di!'

'Be sy'n bod arnyn nhw?'

'Maen nhw mor denau â choesau Robin Goch ac mor wyn â chnu oen bach. Sbia ar liw y 'nghoesau i.'

Cymharodd Hawys ei choesau gwyn hi â choesau brown Arthur.

'Be wna i? Maen nhw'n siŵr o feddwl 'mod i'n od.'

'Rhaid i ni newid eu lliw nhw.'

'Sut?'

'Rhwbio tipyn o bridd a baw arnyn nhw. Mi wnaiff hynny guddio'r gwyn nes y cei di liw naturiol.'

A dyna wnaethon nhw. Erbyn i Hawys gyrraedd pen yr allt teimlai fel gwas fferm go iawn. Am eiliad bu bron iddi droi yn ôl—ond na, roedd yn cael gwaith i allu cadw Cochyn. Gobeithio na fyddai'n gweld Iorwerth rhag ofn y byddai'n ei chofio ers y bore. Cerddodd yn betrus i mewn i'r buarth. Doedd yr un copa walltog i'w weld yn unman. Neidiodd mewn braw pan ddisgynnodd llaw fawr galed ar ei hysgwydd.

'Pwy ydy'r dyn bach yma sydd ag ofn ei gysgod?' taranodd llais trwm yn ei chlust.

Am funud bu bron iddi ddweud 'Hawys Tyddyn Bach', ond rhywsut neu'i gilydd ceciodd allan, 'G-g-g-Guto.'

'A beth mae G-g-g-Guto yn ei wneud ar fuarth y Plas?' dynwaredodd y llais hi. Trodd y llaw hi i wynebu'r llais. Edrychodd Hawys i fyw llygaid y gŵr mawr cryf, oedd wedi ei wisgo fel bonheddwr. Rhythodd Hawys ar yr het feddal a'r bluen bert ynddi, y siercyn a'r goler lês, y trowsus a'r sanau sidan. Fuodd hi erioed mor agos at y fath ddillad crand. 'Lle mae dy dafod di?' holodd.

Wyddai Hawys ddim pam y gwnaeth hi'r fath beth, ond dangosodd iddo ble roedd ei thafod drwy ei gwthio allan rhwng ei gwefusau crynedig. Chwarddodd y dyn dros y lle. 'Dipyn o ddigrifwr ydy'r dyn bach yma. Ydy'r dafod yna'n mynd i ateb y cwestiwn?'

'Chwilio am waith, syr.'

‘Gwaith? Pa waith wyt ti’n feddwl fedar dyn mawr cryf fel ti ei wneud? Beth am bedoli ceffylau neu drin y wedd?’

Cododd gwrychyn Hawys. Doedd y snobyn hwn na neb arall ddim yn mynd i'w chymryd hi'n ysgafn a chwerthin am ei phen.

'Rydw i'n gallu chwynnu cae drwy'r dydd ac yn gwybod y gwahaniaeth rhwng chwyn a chnwd ifanc yn berffaith. Dydw i byth yn blino bugeilio brain ac mae fy llais i'n cario cystal â llais neb. Mae o fel cloch.'

'Ydy. Mae o'n ddigon clir, ond braidd yn ysgafn, efallai. Oes 'na unrhyw beth arall fedri di ei wneud?'

'Mi fedra i edrych ar ôl anifeiliaid, a rhedeg a chario drwy'r dydd os bydd isio.'

'Wel Guto, sut fedar yr un Plas yrru ymlaen heb ddyn fel ti? Pryd fyddi di'n barod i ddechrau?'

'Fory, syr. Yn y bore bach,' atebodd Hawys yn eiddgar.

'Iawn—ond paid â bod yn hwyr. Tyd efo fi at y pen gwas. Fo fydd yn dweud wrthat ti be i'w wneud.'

Cerddodd Hawys wrth ochr y bonheddwr a'i llygaid yn llawn edmygedd wrth edrych at y botasau uchel, llac o ledr oedd am ei draed. Roedd hi'n siŵr na chafodd ef erioed swigen ar ei sawdl. Aethant draw i gyfeiriad y stablau a gwaeddodd y gŵr, 'Iorwerth, Iorwerth.'

Cododd croen pen Hawys. O na! Byddai hwn yn siŵr o'i hadnabod! Ond, diolch byth, nid Iorwerth ddaeth allan o'r stabl.

'Syr, mae Iorwerth wedi mynd allan i'r caeau efo un o'r ceffylau.'

'Iawn. Rydw i newydd gyflogi'r bachgen 'ma. Fory fydd o'n dechrau. Rho waith iddo fo yn y caeau a lle iddo roi'i ben i lawr.'

Cyffyrddodd y gwas ei dalcen a brasgamodd y bonheddwr i gyfeiriad y Plas.

'Fan hyn bore fory,' gorchmynnodd y gwas, 'a phaid â bod yn hwyr. Be ydy d'enw di?'

'Guto.'

Trodd y llanc ar ei sawdl ac aeth yn ôl i'r stabl. Roedd Hawys wrth ei bodd ei bod wedi cael gwaith, ond roedd arni ofn cyfarfod yr hen Iorwerth 'na yn y bore. Roedd hynny'n ei phoeni'n fwy na mynd adref i ddweud wrth Nain hyd yn oed.

Roedd Arthur wrth ei fodd pan glywodd ei bod wedi cael gwaith. Cafodd groeso mawr yn y felin lle golchodd y rhan fwyaf o'r baw oddi ar ei choesau cyn mynd adref i Dyddyn Bach. Gadawodd ddillad 'Guto' yno'n barod at y bore.

Wrth nesáu at Dyddyn Bach gwyddai y byddai ganddi hiraeth am y lle, a hiraeth mawr am Nain. Ond pa ddewis oedd ganddi hi? Sut oedd hi'n mynd i ddweud wrthi? Daeth y tyddyn i'r golwg a chyn hir roedd yn ddigon agos i glywed clwcian yr ieir. Dyna ryfedd, doedd hi ddim yn gallu clywed clochdar Cochyn, chwaith. Dechreuodd rhyw hedyn bach o ofn dyfu tu mewn iddi. Oedd rhywbeth wedi digwydd i Cochyn? Galwodd ei enw. Dim siw na miw. Clywodd Nain ei llais a daeth allan i'w chyfarfod.

'Nain,' gwaeddodd Hawys, a dychryn yn ei llais. 'Nain, lle mae Cochyn?'

'Mae'n ddrwg gen i, 'ngeneth i, ond mi ges i gynnig pris teg amdano fo. Mi ddoi di i ddeall.'

Dechreuodd y dagrau redeg i lawr wyneb Hawys.

‘I bwy werthoch chi o?’

‘I ryw Iorwerth sy’n gweithio’n y Plas. Roedd o’n nabod dy fam.’

‘O! Nain!’ Igiodd y geiriau allan, ‘Rydach chi wedi gwerthu Cochyn, a finna newydd gael gwaith yn y Plas er mwyn medru’i gadw fo. Be wna i rŵan?’

Pennod 4

Y bore wedyn, cyrhaeddodd Hawys y felin cyn bod Arthur wedi deffro. Roedd ar dân eisiau dweud wrtho am yr hyn oedd wedi digwydd i Cochyn, ond doedd dim modd ac yntau'n cysgu. Newidiodd i ddillad 'Guto' a chychwynnodd ar ei thaith. Mewn un ffordd, edrychai ymlaen at gyrraedd y Plas er mwyn ceisio cael hyd i Cochyn—ond eto roedd arni ofn i Iorwerth ei hadnabod.

Pan gyrhaeddodd, roedd y lle'n ferw gwyllt—morynion a gweision yn rhuthro o un man i'r llall yn gweiddi cyfarchion a gorchmynion ar ei gilydd, a'u lleisiau'n uno efo brefu, gweryru a rhochian yr anifeiliaid fel rhyw gôr gwallgof. Gwrandawodd Hawys yn astud, ond chlywodd hi ddim clochdar yr un ceiliog. Gwelodd y gwas fu'n siarad â hi y diwrnod cynt, ac aeth ato.

'O! ti 'di cyrraedd,' meddai a gwaeddodd nerth ei ben, 'Iorwerth, Iorwerth, mae'r gwas bach newydd 'di cyrraedd.'

Llusgodd Iorwerth ei hun yn ddioglyd o gyfeiriad y stabl a gwellt ei wely'n dal yn sownd yn ei wallt. Edrychodd mewn penbleth ar Hawys.

'Lle ydw i 'di dy weld di o'r blaen?'

'Does gen i ddim syniad.'

'Mm,' pendronodd. 'Oes gen ti frawd neu chwaer?'

'Nagoes.'

'Mi awn i ar fy llw 'mod i wedi dy weld di yn rhywle.'

Rhwbiodd ei ên â'i law fawr a syllu i fyw llygaid Hawys. Erbyn hyn roedd hi'n siŵr bod golwg euog yn ei llygaid, a theimlai ei thu mewn yn dechrau crynu.

'Be ydy dy enw di?'

'Guto.'

'Iawn, Guto. Tyd efo fi i ti gael dechrau ennill dy damaid. Does neb yn cael diogi yn fan hyn, hyd yn oed rhywun â golwg mor ddi-lun â ti arno fo.'

Dilynodd Hawys ef i mewn i dywyllwch cynnes y stabl. Erbyn hyn, roedd y ceffylau i gyd allan ond roedd eu harogl yn dal yno, yn gymysg ag arogl tail, ceirch a chwys.

'I fyny'r grisiau 'na yn y llofft stabal fyddwn ni'n cysgu. Chwilia am gornel wag yn y gwellt. Mae hi'n ddigon cysurus yna, a digon o gwmni rhyngon ni i gyd, y llygod a'r chwain. Mi fyddi di'n codi efo'r wawr, fel pawb arall. Mi gei di damaid o fara, caws a chwrw i frecwast. Cawl amser cinio, bara a sbarion cig y byddigions i swper. Mae'r bwyd yn well na be gest ti adre, yn ôl dy olwg di. Mi gei ddigon o gwrw wedi'i fragu yn y bragdy yma. Mi roith dipyn o gnawd ar yr esgyrn 'na gyda lwc, a magu dipyn o fôn braich i ti. Rŵan, gwaith. I ddechrau—carthu. Carthu dan y ceffylau a chario'r tail i'r doman tu allan. Mi godith hwnna chwant bwyd arnat ti.'

Edrychodd Hawys o'i chwmpas a bu bron iddi dorri ei chalon—roedd digon o dail yno i godi mynydd, nid tomen!

'Oes 'ma lot o geffylau?' holodd, gan geisio magu plwc i ofyn y cwestiwn pwysig.

'Hen ddigon i'n cadw ni'n brysur, ac i'r meistr gael marchogaeth a hela,' atebodd Iorwerth.

'Gwartheg? Oes 'ma wartheg ac ychen?'

'Oes tad, a defaid a geifr.'

Llyncodd ei phoer a gofynnodd, 'Oes 'na ieir yma?'

'Wrth gwrs bod,' atebodd yn gwta.

'A cheiliog?'

'Argian annwyl, weles i neb tebyg i ti am holi. Rho daw ar yr holi a dechreua arni.

Mae'n rhaid i ti orffen y gwaith 'ma cyn gei di gawl amser cinio.'

Do, cymerodd Hawys druan fore cyfan i garthu'r stablau. Erbyn amser cinio teimlai bod ei chefn ar dorri, ei phenliniau'n gwegian a'i breichiau mor drwm â phlwm. Doedd ganddi yr un syniad sut y gallai wneud rhagor o waith y diwrnod hwnnw. Pan eisteddodd i gael ei chinio daeth gwas bach arall ati.

'Siencyn ydw i. Pwy wyt ti?'

'Guto.'

'Argian, mi dwi'n falch o dy weld di,' meddai Siencyn, a rhyw ryddhad yn ei lais.

'Pam felly?'

'Cyn i ti ddod, fi oedd yn gorfod carthu'r stablau bob bore. Rŵan rydw i'n cael mynd at y gwartheg a helpu'r morynion godro i gario'r llefrith, a thaflu cipolwg ar y defaid cyn rhoi help llaw yn y caeau. Rydw i wrth fy modd yn rhoi help llaw yn y caeau, achos mi gei hyd i ambell wy mae rhyw hen iâr wedi'i ddodwy allan. Gwna dwll yn y plisgyn ac yfed y tu mewn—mae o'n rhoi nerth i ti. Mi fyddi di mor gryf â Iorwerth wedyn. Mi rydw i'n falch o gael cwmpeini hefyd.'

'A finnau, ond dydw i ddim isio bod fel Iorwerth, chwaith.'

'Mae o'n iawn, sti, ond i ti beidio sathru ar 'i gyrn o.'

'Oes 'na geiliogod 'ma?'

'Ceiliogod? Oes. Pam? Does 'na byth ieir heb geiliog.'

Doedd Hawys ddim am ddweud y gwir wrth Siencyn—ddim eto, o leiaf.

'Roedd gan Nain rhyw hen geiliog adre, ac mi roedden ni'n cael lot o hwyl efo fo.'

'Chei di ddim hwyl hefo'r rhain. Mae unrhyw geiliog da yn cael ei fagu i fod yn geiliog talwrn. Mae'r meistr wrth ei fodd yn mynd i wylio ymladd ceiliogod. Mae'r teulu i gyd yn mynd am y dydd.'

'Dim ond gan y meistr mae 'na geiliogod?'

'Wel ia, wrth gwrs. Fedar neb arall fforddio prynu un.'

'Ddim hyd yn oed Iorwerth?' holodd Hawys.

'Na fedra, oni bai 'i fod o'n cael cynnig un yn rhad. Argian, mi rwyt ti'n un am holi! Brysia efo'r cawl 'na neu mi fydd Iorwerth yn rhoi tasg arall i ti cyn i ti orffen dy ginio.'

Sylwodd Siencyn nad oedd Hawys wedi yfed ei chwrw.

'Be sy'n bod ar y cwrw 'na?'

'Dim byd. Mae'n well gen i ddŵr.'

'Argian annwyl, rwyt ti'n greadur od! Does 'na ddim blas ar ddŵr.'

Ond doedd Hawys erioed wedi blasu cwrw, a doedd hi ddim yn hoff o'i arogl heb sôn am drio'i yfed.

'Paid byth â'i wrthod o tra ydw i o gwmpas. Mi yfa i'r ddau,' meddai Siencyn.

Drachtiodd Siencyn y cwrw i gyd cyn torri gwynt yn uchel a sychu'i geg â chefn ei law fudr.

Gwaith Hawys y prynhawn hwnnw oedd mynd i dorri coed tân ar gyfer y Plas. Bu bron iddi dorri ei chalon pan welodd y llwyth o'i blaen. Doedd hi ddim yn mynd i gael cyfle i chwilio am Cochyn os oedd hi'n mynd i orfod gweithio fel hyn drwy'r

dydd, bob dydd. Erbyn diwedd y prynhawn roedd Hawys yn chwys domen, a'i chefn a'i breichiau fel petaen nhw ar dân. Roedd hi'n agos iawn at ddagrau. Meddyliodd am Dyddyn Bach a Nain, am Fryn Eglwys ac Arthur, ond dyna fo—roedd yn rhaid iddi aros yma nes dod o hyd i Cochyn.

Y noson honno dringodd Hawys yn un swp blinedig i'r llofft uwchben y stabl. Gwnaeth nyth bach iddi hi ei hun yn y gwellt cynnes. Gorweddodd yno'n gwrando ar siarad a chwerthin y gweision eraill. Roedd yn benderfynol o beidio cysgu. Roedd ganddi rywbeth pwysig i'w wneud. Brwydrodd i gadw'i llygaid ar agor. Yna, o dipyn i beth, tawelodd y llofft stabl a dechreuodd y chwyrnu. Gallai Hawys gychwyn ar dasg bwysicaf y dydd . . . dial ar Iorwerth.

Pennod 5

Dechreuodd Hawys ddringo'n ofalus i lawr yr hen ysgol simsan o'r llofft i'r stabl, gan aros bob hyn a hyn i wrando rhag ofn bod rhywun yn ei dilyn. Doedd dim smic yn unman, heblaw ambell ochenaid, mwmian cysglyd a siffrwd llygod yn y gwellt. Camodd allan o wres y ceffylau yn y stabl i oerfel y nos. Roedd golau iasoer, gwan y lleuad yn creu cysgodion dieithr ar y buarth. Tybed oedd rhywun yn llechu yno, yn barod i neidio allan arni? Meiniodd ei chlustiau. Oedd hi wedi clywed rhywbeth? Oedd, roedd rhywbeth yno. Ond beth?

Safodd yn ei hunfan. Roedd ysbrydion y nos yn sicr o fod ar gerdded o gwmpas y lle ar noson fel hon. Roedd Nain wedi sôn digon amdanyn nhw. Snwffiodd rhyw hen gaseg yn fodlon yn ei chwsg. Cododd Hawys ei chalon rhyw ychydig. Petai unrhyw berygl, byddai'r ceffylau'n siŵr o anesmwytho. Rhaid oedd iddi symud, neu byddai wedi gwawrio a hithau heb gael hyd i Cochyn.

Penderfynodd fynd draw y tu ôl i'r stablau i gyfeiriad cwt yr ieir. Doedd hi ddim yn meddwl y byddai Iorwerth yn cadw'r ceiliog gyda'r ieir. Ond rhaid ei fod yn rhywle'n agos gan y byddai clochdar o ran arall o'r buarth yn gwneud pobl yn amheus.

Erbyn hyn, roedd oerfel y buarth wedi treiddio drwy'i thraed noeth i fyny ei chefn. Doedd fiw iddi wisgo ei chlocsiau rhag ofn i rywun glywed ei sŵn ar bridd caled y buarth. Cerddodd yn ei blaen yn araf ar flaenau'i thraed gan gadw'n glòs at gysgod yr adeilad rhag ofn i rywun ddigwydd ei gweld. Heibio ochr y stabl, heibio'r cafn.

Dim siw na miw yn unman. Rhedodd rhywbeth blewog dros ei thraed. Bu bron iddi sgrechian. Ych! llygoden ffrengig! Heibio'r cwt golchi. Doedd hi ddim yn bell o gwt yr ieir rŵan. Gallai glywed arogl y lle, er bod y drws wedi'i gau i gadw'r llwynogod allan.

Croesodd y buarth yn llechwraidd. Rhaid bod Cochyn yn cael ei guddio yn rhywle, ond ble? Doedd hi ddim wedi bod yno'n ddigon hir i ddod i adnabod y lle'n iawn.

Arhosodd. Ust! Oedd hi'n clywed sŵn traed yn ceisio symud yn dawel? Llithrodd y tu ôl i ochr cwt yr ieir. Gwrandawodd. Oedd, roedd yna rywbeth. Llais. Llais yn sibrwd yn dawel. Aeth i'w chwrcwd, gan geisio gwneud ei hun yn fach. Daeth y sibrwd a'r traed yn nes. Byddai wedi rhoi'r byd am gael bod yn ôl yn y gwely efo Nain yn Nhyddyn Bach. Curai ei chalon yn gyflym yn ei gwddf ac roedd ganddi boen mawr yng ngwaelod ei bol. Arhosodd y traed. Roedden nhw'n ddigon agos iddi glywed y lleisiau'n siarad. Llais Iorwerth oedd un ohonyn nhw. Clustfeiniodd Hawys.

'Mae o'n andros o un da. Welis i mo'i debyg o. Mae'n werth i ti weld 'i gorff o. Argian, mae o'n gryf a dwy goes hir ganddo fo. Mi fydd hwn ben a sgwydda'n dalach na'r un ceiliog arall. A tasat ti'n gweld 'i stympia fo, maen nhw cyn hired â 'mys i. Pan fydd o'n eu defnyddio i grafu, mi fyddan nhw fel saethau'n plannu i wddw'r gwrthwynebwyr. Mi dorra i 'i grib a'i dagellau o'n glòs yn lle 'u bod nhw'n cael 'u rhwygo. Mi fydd 'i ben o fel sarff.

Unwaith y bydd o wedi'i baratoi mi fydd 'i olwg o, heb sôn am 'i allu ymladd o, yn ddigon i ddychryn unrhyw geiliog arall.'

Dechreuodd Hawys deimlo'n sâl. Ond roedd gwaeth i ddod.

'Mi ro'n i wedi meddwl 'i gadw fo i mi fy hun a gwneud ceiniog neu ddwy ar 'i gorn o, ond dydy hi ddim yn saff iawn yma. Tasa'r mistar yn 'i weld o mi fasa'n siŵr o'i hawlio, a fasa 'na rai yn fan hyn ddim ond yn rhy falch o ddweud wrtho fod y ceiliog yma.'

'Gwerthu amdani, felly, os bydda i'n hapus ar 'i olwg o,' meddai llais yr un arall.

Syrthiodd calon Hawys i fodiau ei thraed. Beth oedd y pwynt o gael gwaith yn y Plas os oedd Iorwerth yn gwerthu Cochyn? Châi hi byth mohono'n ôl. Dechreuodd grio'n ddistaw mewn siom. Beth oedd hi'n mynd i'w wneud? Doedd ganddi hi yr un syniad pwy oedd y prynwr nac i ble roedd Cochyn yn mynd. Roedd yn rhaid iddi feddwl am rywbeth. Trueni na fyddai Arthur yno i'w helpu. Rhywsut, roedd yn rhaid iddi rwystro Iorwerth rhag dangos Cochyn i'r dyn—ond sut? Yn sydyn, fel fflach, cafodd syniad. Gallai gerdded yn ei chwsg! Byddai hynny'n siŵr o dynnu eu sylw. Cododd ar ei thraed yn araf. Roedd ei choesau a'i chefn yn boenus ar ôl yr holl waith ddoe. Roedd yn beryglus i ddeffro rhywun oedd yn cerdded yn ei gwsg, felly byddai'n rhaid iddi esgus deffro a chreu rhyw stŵr neu'i gilydd. Daliodd ei breichiau allan yn syth o'i blaen. Yn betrusgar braidd, dododd un droed o flaen y llall a dechreuodd fwmial yn isel.

'Glywaist ti rywbeth?' Iorwerth oedd yn siarad.

'Naddo fi. Clywed be?'

'Gwranda. Sŵn fel rhyw wenyn neu rywbeth.'

'Gwenyn, yr adeg hyn o'r dydd?'

'Cau dy geg. Gwranda.'

Mwmiodd Hawys unwaith eto fel rhyw gacwn mawr.

'Nefoedd yr adar, mae 'na rywbeth hefyd,' meddai'r llall, a thinc ofnus yn ei lais.

Roedd Hawys yn mwynhau ei hun. Dyma'r amser iddi ddod i'r golwg. Yn bwyllog ac urddasol, a'i dwy fraich yn syth o'i blaen, daeth heibio ochr cwt yr ieir. Roedd ei llygaid ar agor led y pen a gallai weld y braw ar wyneb y ddau.

'Nefoedd yr adar, ysbryd ar f'enaid i!'

'Nage,' meddai Iorwerth gan afael ym mraich y llall oedd ar fin dianc. 'Y gwas bach newydd sy'n cerdded yn 'i gwsg.

Dydy o ddim yn ein gweld ni, 'sti. Rydan ni'n berffaith saff ond i'r cena bach beidio deffro. Safa'n llonydd nes aiff o heibio.'

Deffro oedd yr union beth roedd Hawys yn bwriadu'i wneud. Yn araf cerddodd ymlaen i gyfeiriad y ddau. Roedd y prynwr yn sefyll yn syth o'i blaen fel delw gerfiedig. Doedd o ddim yn siŵr a oedd o'n credu Iorwerth ai peidio. Ymlaen, ymlaen yr aeth Hawys. Ymlaen nes i'w dwylo gyffwrdd â brest y prynwr. Rhoddodd hwnnw un sgrech annaearol ac atebwyd honno gan sgrech Hawys yn 'deffro'.

Ni chlywyd erioed y fath sŵn—Hawys a'r prynwr yn sgrechian a Iorwerth yn ei ffwdan yn gweiddi'n uwch na'r ddau wrth geisio'u tawelu. Deffrowyd yr ieir gan y fath halibalŵ a dechrau clwcian dros y lle. Gweryrodd y ceffylau yn y stabl ac uwchben y cwbl clywodd Hawys glochdar Cochyn. Cochyn oedd o, yn bendant. Doedd yr un ceiliog arall yn clochdar fel yna.

Yn ei hapusrwydd dechreuodd Hawys chwerthin fel rhywun gwallgof. Roedd y cyfan yn ormod i'r prynwr. Trodd a rhedeg nerth ei draed o'r fan, gan fynd ar ei ben i'r criw o weision eraill oedd ar eu ffordd o lofft y stabl i weld beth oedd yn digwydd. Ochneidiodd Hawys. Roedd Cochyn yn ddiogel, am y tro beth bynnag, a hithau wedi cael modd i fyw. Ond am ba hyd?

Pennod 6

Cyn cyrraedd yn ôl i'r stabl, cafodd Hawys y fath fonclust gan Iorwerth nes ei bod yn credu fod ei phen yn mynd i ddisgyn oddi ar ei gwddf. Am ychydig eiliadau, trodd pobman yn ddu a fflachiodd rhyw oleuadau bach bob lliw o flaen ei llygaid. Ond doedd dim ots am ei phoen hi—roedd Cochyn yn ddiogel ac fe gâi hi gyfle i ddial am y fonclust yna. O, câi!

'Mi ddysgith hwnna i ti beidio cerdded yn dy gwsg, y llipryn da i ddim i ti,' cyfarthodd Iorwerth arni. Trodd at y lleill oedd wedi casglu yno i wrando. 'Be sy'n bod arnach chi i gyd yn sefyll yn fanna'n gegrwth? Peidiwch â meddwl troi'n ôl i'r gwely. Mae'n gwawrio. Dechreuwch arni. A chdi, Guto gysgwr, mae 'na bentwr o dail yn y stabal 'na. Ti'n gwbod be i wneud efo fo.'

Llusgodd Hawys ei hun i'r stabal a'i phen yn troi. Doedd ganddi hi ddim syniad sut roedd hi'n mynd i garthu eto heddiw, a hithau'n brifo drosti. Ond roedd yn rhaid. Ymhen ychydig funudau, sleifiodd Siencyn i mewn.

'Be ar wyneb y ddaear ddigwyddodd bore 'ma?' holodd.

'Fi gerddodd yn 'y nghwsg, ond mi ddeffris i a dechrau sgrechian achos dwyt ti ddim i fod i ddeffro neb sy'n cerdded yn 'i gwsg.'

'Paid â'u rhaffu nhw. Doeddat ti ddim yn cerdded yn dy gwsg achos welis i ti'n mynd o'r llofft stabal. Doeddat ti ddim yn cysgu achos roedd osgo trio mynd yn ddistaw arnat ti. Be oedd Iorwerth yn 'i wneud allan yr adeg yna o'r bore? Ac mi welis i ryw ddyn yn rhedeg fel cath i gythraul oddi wrthat ti. Roeddach chi i gyd ar ryw berwyl drwg.'

Doedd Hawys ddim yn siŵr iawn beth i'w wneud. Doedd hi ddim am gael bai ar gam. Eto i gyd doedd hi ddim yn nabod Siencyn yn ddigon da i ymddiried ynddo.

'Os deudi di, mi ro i help llaw i ti garthu'r lle 'ma,' cynigiodd Siencyn. 'Rydw i wedi gorffen fy ngwaith cyn brecwast.'

'Ti'n addo peidio dweud wrth neb?'

'Ar 'y marw.'

'Cris croes, tân poeth?'

'Cris croes, tân poeth,' meddai Siencyn yn ddiamynedd braidd.

Adroddodd Hawys yr holl hanes wrth Siencyn.

'Wel, ar f'enaid i! Hogan wyt ti!' meddai mewn syndod. 'Hogan yn carthu stabal. Dim syndod nad wyt ti'n lecio'r cwrw. Dyn drwg ydy'r hen Iorwerth 'na. Mi fasa hwnna'n cymryd mantais o'i nain 'i hun, heb sôn am nain rhywun arall. Ddoist ti o hyd i Cochyn?'

'Naddo, ond rydw i'n gwybod 'i fod o yn rhywle o gwmpas cwt yr ieir. Ro'n i'n medru clywed 'i glochdar o.'

'Gwranda, mi helpa i di. Rydw i'n casáu'r llabwst. Mae o wedi 'nghuro i sawl tro er pan ydw i yma. Mae o'n mwynhau codi'i ddyrnau. Caria di 'mlaen efo'r carthu ac mi a' i am dro heibio cytiau'r ieir. Mae Iorwerth, y ffwlbart diog, yn saff ar hyn o bryd yn trio perswadio rhyw forwyn fach i roi'r lwmpyn mwya o gaws iddo fo amsar brecwast drwy addo dod â rhwbeth iddi o'r farchnad. Welith hi ddim byd, wrth gwrs, y greadures fach. Wedi i mi gael hyd i Cochyn mi ddo i'n ôl i roi help llaw i chdi.'

Ailafaelodd Hawys yn ei gwaith â rhyw egni newydd. Dyna braf oedd cael ffrind. Ond fyddai Siencyn byth yn cymryd lle Arthur. Rhwbiodd ochr ei chlust lle cafodd y fonclust. Daliai i deimlo'n boeth.

Ymhen hir a hwyr, dychwelodd Siencyn a gwên lydan ar ei wyneb.

'Ia, welist ti o?' holodd Hawys yn eiddgar.

'Do. Argian, mae o'n geiliog braf! Dim rhyfedd bod yr hen labwst mawr wedi cymryd ato fo.'

'Ydy o'n iawn?'

'Cyn iached â chneuen a chyn hapused â'r gog. Mae ganddo fo gwb arbennig iddo fo'i hun, gwellt glân, dŵr glanach na'n dŵr ni o'r hen gafn 'na, a llond 'i fol o fwyd. Dydy Iorwerth ddim wedi dechrau 'i drin o eto.'

'O! diolch byth. Wn i ddim sut i ddiolch i ti.'

'Digon hawdd. Mi gei ddal i roi dy gwrw i mi amser bwyd a mi gei di 'mhriodi i ar

ôl i ti dyfu'n fawr. Mi leciwn i gael gwraig fedar garthu stabal!'

Rhedodd allan gan chwerthin a thalp mawr o dail ceffyl yn hedfan ar ei ôl drwy'r awyr.

Wrth gwrs, y diwrnod hwnnw cafodd Hawys druan y tasgau gwaethaf i'w gwneud a Iorwerth yn cadw golwg arni drwy gydol yr amser rhag ofn iddi laesu dwylo. Roedd hi'n ei gasáu, ond penderfynodd na châi y gorau arni. Rhywsut neu'i gilydd byddai'n achub Cochyn a chael cyfle i ddial ar y llabwst. Fin nos, a'r haul yn machlud, aeth Iorwerth i rywle o'i golwg, ond roedd ganddi ormod o ofn gadael ei gwaith a mynd i chwilio am Cochyn. Roedd wedi llwyr ymlâdd a swatiodd ym môn y clawdd i gael saib fach. Mae'n rhaid ei bod wedi cwympo i gysgu, achos y peth nesaf deimlodd hi oedd Siencyn yn ei hysgwyd.

'Deffra, mae gen i newyddion i ti.'

'Y? Be?' Roedd hi'n eithaf hurt, newydd ddeffro.

'Newyddion am Cochyn. Mi glywais i Iorwerth yn deud wrth un o'r lleill 'i fod o'n bwriadu gwerthu Cochyn a'i fod am fynd â fo i'r farchnad drennydd. Mae'n rhaid i ni neud rhywbeth cyn hynny.'

'Rhaid i ni 'i gipio fo heno nesa,' meddai Hawys a braw yn ei llais.

'Gwranda, dydy hynny ddim yn mynd i fod yn hawdd.'

'Pam?'

'Fedri di ddim mynd allan o'r llofft stabal eto heno achos mi fydd Iorwerth yn dy wylio di fel hebog hefo llygodan.'

'Fedri di fynd?'

'Gwranda. Os ydy Iorwerth yn dy wylio di, mi fydd 'i hen glustia fo'n gwrando ar bob smic. A beth bynnag, fasa Cochyn ddim yn dod hefo fi heb glochdar nerth 'i ben.'

Sylweddolodd Hawys bod synnwyr yn yr hyn a ddywedai Siencyn.

'Be wnawn ni, 'ta?'

'Meddylia di tan amser swper. Mi a' i'n ôl at 'y ngwaith ac mi feddylia inna hefyd.'

Ond er pendroni a phendroni, chafodd yr un o'r ddau syniad nes i Siencyn ddweud amser swper, a llond ei geg o gig dafad seimllyd,

'Fydda i ddim yma fory.'

Suddodd calon Hawys.

'Lle wyt ti'n mynd?'

'Rydw i'n gorfod mynd draw i'r felin hefo un o'r gweision i nôl llwyth o flawd.'

Goleuodd wyneb Hawys.

'Dyna fo. Dyna be wnawn ni,' sibrydodd.

'Be?' ebychodd Siencyn gan boeri rhagor o'r cig seimllyd wrth siarad.

'Gei di wybod ar ôl i ni fynd o fan'ma.'

Llowciodd y ddau eu cig a'r dafell dew o fara a wnâi yn lle plât cyn rhuthro i gornel fach dawel o'r buarth.

'Ia, be?' holodd Siencyn yn chwilfrydig.

'Fory, pan ei di i'r felin, chwilia am Arthur y mab. Y fo helpodd fi. Deuda wrtho fo am ddod i 'nghyfarfod i ar doriad y wawr drennydd wrth ffynnon Bryn Eglwys a dod â 'nillad i hefo fo.'

'Iawn, ond pam?'

'Wel, os ydy Iorwerth yn mynd â Cochyn i'r ffair i'w werthu, mi fydda i ac Arthur yno hefyd. Fydd Iorwerth ddim yn meddwl mai Guto ydw i pan fydda i yn nillad Hawys, fydd o? A dydy o rioed wedi gweld Arthur. Deuda wrtho fo am ddod â sach hefyd. Sach sy'n ddigon mawr i ddal Cochyn. Mae 'na ddigon ohonyn nhw yn y felin. Mi fydd angen y sach i gario Cochyn adref.'

'Cario Cochyn adref?'

Roedd wyneb Siencyn yn werth ei weld.

'Ia. Cario Siencyn adref,' ailadroddodd Hawys a phenderfyniad yn ei llais.

'Fedri di byth fforddio'i brynu fo?'

'Na fedraf, siŵr, ond rywsut neu'i gilydd mi all dau o rai penderfynol, 'strywgar, fel Arthur a fi 'i gipio fo.'

'Be tasa chi'n cael eich dal? Mi gewch chi'ch chwipio'n gyhoeddus, neu cael eich rhoi yn y carchar—neu hyd yn oed cael eich crogi!' Âi llygaid Siencyn yn fwy ac yn fwy wrth feddwl am y fath gosbau ofnadwy.

'Ddalith neb ni. Mi fydd Duw hefo ni, gei di weld. Dim ond i ti roi dy neges fory mi fydd popeth yn iawn.'

Pennod 7

Chysgodd Siencyn na Hawys fawr ddim y noson cyn y ffair. Troi a throsi yn y gwellt fu hanes y ddau drwy'r nos. Llwyddodd Hawys i godi mewn pryd, a chyrhaeddodd ffynnon Bryn Eglwys o flaen Arthur. Fu hi erioed mor falch o weld neb, yn enwedig pan welodd bod ganddo dafell o fara iddi i lenwi'r twll yn ei bol. Newidiodd i'w dillad Hawys a stwffio'i dillad Guto i waelod y sach. Edrychai ymlaen at y daith. Fu hi erioed mor bell o'r blaen. Cerddodd y ddau drwy'r caeau y rhan fwyaf o'r ffordd. Roedd yn esmwythach i'r traed na cherrig garw a thyllau'r ffordd. Chwarddodd Arthur am ben stori Hawys yn cerdded yn ei chwsg ac roedd yntau fel hithau am gael dial ar Iorwerth drwy gipio Cochyn.

Ar ôl i'r ddau gyrraedd y ffordd, cawsant gwmni llawer o bobl eraill—pawb ar eu ffordd i'r farchnad, rhai'n eiddgar i brynu ac eraill â nwyddau i'w gwerthu. Tyfodd nifer y teithwyr wrth iddynt nesáu at y dref, a'r siarad a'r chwerthin yn cynyddu. Ni fu Hawys erioed yn y farchnad o'r blaen ac edrychai ymlaen at weld popeth, er na fyddai ganddi amser i fwynhau. Roedd Arthur a hithau wedi penderfynu cipio Cochyn a'i heglu hi oddi yno nerth eu traed. Dywedodd Arthur wrthi bod llawer o ddwyn yn digwydd mewn marchnad a ffair, ond ychydig oedd yn cael eu dal gan bod cymaint o fynd a dod o gwmpas y stondinau.

Cafodd Hawys fraw pan gyrhaeddon nhw stryd fawr y dref lle safai'r holl stondinau. Roedd y lle dan ei sang! Welodd hi erioed le mor fawr, nac ychwaith gymaint o bobl yn gwau drwy'i gilydd. A sôn am sŵn! Roedd yn ddigon i fyddaru rhywun rhwng y siarad, y gweiddi a'r chwerthin, heb sôn am y brefu, y gweryru a'r clochdar. Gweodd Arthur a hithau eu ffordd drwy'r bobl ac yna clywodd yr arogl mwyaf drewllyd.

'Ych a fi!' ebychodd. 'Be goblyn ydy'r ogla 'ma?'

Chwarddodd Arthur. 'Ogla dipyn o bopeth. Mae 'na reolau mewn marchnad ac mae'n rhaid i bob stondin sy'n gwerthu pethau drewllyd fod gyda'i gilydd. Pethau fel pysgod, er enghraifft.'

'Pysgod? Dydw i 'rioed 'di gweld pysgod. Dim ots am yr ogla, tyrd i weld,' meddai Hawys gan dynnu Arthur ar ei hôl.

Pan welodd Hawys y pysgod ar y stondin, dechreuodd chwerthin. 'Welais i 'rioed betha mor rhyfedd! Ti'n deud wrtha i bod pobol yn byta pethau fel 'na? Does 'na ddim cig ar bethau mor denau â rheina, a does ganddyn nhw ddim coesau na breichiau. Edrycha ar eu llygaid nhw! Ych! Byta pethau drewllyd fel 'na! Dim rhyfadd nad ydyn nhw ddim 'di gwerthu llawer.'

'Newydd ddechrau gwerthu maen nhw. Does neb yn cael dechrau gwerthu cyn chwech.'

'Pwy sy'n deud?'

'Rheolau'r farchnad.'

'O!'

'Dyna sut rydw i'n gwybod y bydd Iorwerth yn trio gwerthu Cochyn ar y slei.'

'Be ti'n feddwl, ar y slei?'

'Dim ond oddi ar stondin mae gen ti hawl i werthu mewn marchnad, a fydd gan Iorwerth ddim stondin i werthu un ceiliog. Mewn rhyw dafarn fydd o, gei di weld.'

'Sut gawn ni hyd iddo fo?'

'Doedd o ddim 'di cychwyn o dy flaen di, felly mae'n siŵr nad ydy o wedi cyrraedd eto. Gerddwn ni'n ôl rŵan ac efallai y gwelwn ni o'n cyrraedd y dref. Digon hawdd fydd 'i ddilyn o wedyn. Paid â llusgo rŵan.'

O! roedd y lle'n ddiddorol a phob math o bethau ar y stondinau. Sanau, hetiau, siolau, defnyddiau, esgidiau, menig. Welodd Hawys erioed y fath bethau o'r blaen. A'r bwyd! Caws, menyn, wyau, ac arogl y bara'n codi archwaeth arni. Cigoedd! Wyddai hi ddim bod cymaint o wahanol fathau o gig ar gael. Rhedai'r dŵr o'i dannedd.

''Steddwn ni fan hyn am dipyn i wylio,' meddai Arthur. 'Ond paid ag edrych fel tasat ti'n cardota.'

'Dydw i ddim yn edrach fel cardotyn, ydw i?'

Atebodd Arthur mohoni. Doedd ei dillad fawr gwell na rhai cardotyn.

'Does gan neb hawl i gardota yn y farchnad.'

'Mae o'n le â llawer o reolau, yn tydi,' meddai Hawys mewn syndod.

'Edrycha di allan am yr Iorwerth 'na, rŵan. Dydw i ddim yn nabod y dyn, ond pan weli di o paid â rhythu arno fo na thynnu sylw atat ti dy hun.'

Ar y gair pwniodd Hawys Arthur, 'Dyna fo, y peth hyll 'na sy'n cario sach. Weli di o? Mae o'n siarad hefo'r ddynas fawr dew 'na sy'n gwerthu wyau.'

Edrychodd Arthur. 'O! gwelaf. Rŵan, gad iddo fo fynd heibio ac mi ddilynwn ni o. Dim rhy agos. Cadw'r dihiryn mewn golwg sydd isio heb iddo fo sylwi arnon ni. Ti'n iawn?'

'Ydw, ac yn barod am unrhyw beth,' atebodd Hawys. 'Mae'n siŵr bod Cochyn yn y sach.'

'Ydy, siŵr o fod. Hawys, mae gen i syniad gwych.'

'Be?' gofynnodd yn llawn cyffro. 'Deuda.'

'Pan welwn ni i lle mae o wedi mynd, rhaid i ni dynnu'r dillad allan o'r sach a'u cuddio nhw. Wedyn rhoi rhyw sbwriel yn y sach yn eu lle nhw.'

'Pam?'

'Mi chwiliwn ni am gyfle i gyfnewid y ddwy sach gan obeithio y cymerith o sbel cyn sylweddoli bod y sach anghywir ganddo fo.'

Roedd Hawys wrth ei bodd hefo'r syniad a glynodd fel gele wrth gynffon Arthur wrth iddo ddilyn Iorwerth.

Ymhen hir a hwyr aeth Iorwerth i mewn i dafarn.

'Dyma'n cyfle ni,' sibrydodd Arthur wrthi. 'Rŵan, mi guddiwn ni'r dillad o dan ochr y stondin yna . . . weli di'r sbwriel 'na? Mi rown ni hwnna yn y sach.'

'Pam na wnawn ni adael y dillad ynddo fo?'

'Mae o'n debygol o nabod y dillad, y twpsyn.'

Heb i neb eu gweld, gwthiodd y ddau y dillad o dan y stondin a gwthio peth o'r sbwriel i'r sach.

'Rŵan 'ta, i mewn â ni. Paid ti ag agor dy geg rhag ofn iddo fo nabod dy lais di. Deall?'

'Deall.'

I mewn â nhw drwy'r drws isel i dywyllwch y dafarn. Doedd dim cymaint â hynny o bobl yno gan ei bod mor gynnar. Gwelodd y ddau Iorwerth yn eistedd wrth fwrdd o flaen tân myglyd, a jygaid o gwrw a darn mawr o fara a chaws o'i flaen.

Sylwodd y ddau ar y sach ar y llawr wrth ei ochr. Dododd Arthur ei fys ar ei wefusau. Roedd Hawys yn deall yn iawn. Dilynodd hi Arthur ac eisteddodd y ddau wrth y bwrdd gyferbyn â Iorwerth. Dododd Arthur eu sach nhw yn ymyl sach Iorwerth.

'Cwrw, os gweli di'n dda,' meddai Arthur wrth y gwas oedd yn gweini.

'Rydach chi'n ifanc iawn i fod yma ar eich pen eich hun,' oedd sylw Iorwerth.

'Ein rhieni'n brysur wrth stondin,' eglurodd Arthur.

Erbyn hyn roedd Hawys bron yn sâl o ofn—ofn i Iorwerth ei hadnabod ac ofn iddo orffen a mynd oddi yno. Eisteddai yn edrych i mewn i'r tân ac yn teimlo rhyw chwys oer yn dod drosti tra siaradai Arthur a Iorwerth.

'Mae dy chwaer yn un dawel iawn,' oedd sylw Iorwerth.

'Druan bach, mae'n fud a byddar o'r crud,' eglurodd Arthur yn hollol ddifrifol.

'Well i ti hynny na gorfod gwrando arni'n clegar drwy'r dydd gwyn.'

Byddai Hawys wedi bod wrth ei bodd yn taflu'r jygaid cwrw am ben ei hen gudynnau seimllyd. Yfai Arthur ei gwrw'n boenus o araf. O'r diwedd, rhoddodd ei wydryn i lawr.

'Iawn 'ta,' meddai Arthur yn ddiniwed wrth Iorwerth, 'braf cael dy gwmni. Efallai y cwrddwn ni eto.'

Pwniodd Hawys yn ei hochr i ddangos ei fod ar fin mynd. Cododd y ddau ar eu traed. Gafaelodd Arthur mewn sach.

Gweddïodd Hawys mai sach Cochyn oedd ganddo. Aeth dros y rhiniog i'r awyr iach, ei chalon yn curo'n gyflym a'i phenliniau'n gwegian.

'Gad y dillad,' sibrydodd Arthur wrthi. 'Mae 'na ddigon yn y felin.'

Gweodd y ddau eu ffordd drwy'r bobl ac allan o'r dref gyda'u bwndel gwerthfawr yn ddiogel. O, do! cafodd ei dial—a thrannoeth byddai ar ben ei digon yn gweld y siom ar wyneb milain Iorwerth.